Garfield

JIM DAVIS

Garfield
QUI DORT, DÎNE!

Traduction Jeannine DAUBANNAY

JIM DAVIS

DARGAUD  **EDITEUR**

PARIS • BARCELONE • BRUXELLES • LAUSANNE • LONDRES • MONTREAL • NEW YORK • STUTTGART

COPYRIGHT © 1988 by United Feature Syndicate, Inc.
All right reserved. Based on the English language book.
GARFIELD "FOOD FOR THOUGHT" Volume 13
© 1987 by United Feature Syndicate, Inc.

Dépôt légal Avril 1988 - Nº 14366
ISBN 2-205-03185-6
ISSN 0758-5136

Publié par DARGAUD ÉDITEUR

Imprimé en France en Avril 1988 par Tardy Quercy S.A. Bourges
Printed in France

REGARDE CE QUE TU AS FAIT À CETTE CHAISE, GARFIELD ! TU ES TROP GRAS !

JE NE SUIS PAS TROP GRAS ! C'EST EUX QUI NE FONT PAS DES CHAISES SIMPLES À UTILISER !

ILS NE FONT MÊME PAS DE PORTES QUE CHACUN PUISSE UTILISER !

GARFIELD, TU NE SERAIS PAS AUSSI GRAS SI TU N'AVAIS PAS LES YEUX PLUS GROS QUE LE VENTRE !

CE N'EST QU'UNE EXPRESSION !

GARFIELD, JE VAIS TE METTRE À LA DIÈTE !

ARRRGH !

JE SAIS QUE TU DÉTESTES LES DIÈTES. SI TU CONNAIS UN MEILLEUR MOYEN POUR PERDRE DU POIDS, JE SUIS PRÊT À T'ÉCOUTER !

AMPUTE QUELQUE CHOSE !

AH, RIEN N'EST PLUS RAFRAÎCHISSANT QU'UNE FEUILLE DE LAITUE FRAÎCHE POUR PERDRE DU POIDS ...

MERCI BEAUCOUP POUR CE DÉLICIEUX DÉJEUNER DE RÉGIME, JON !

OÙ VAS-TU ?

JE PARS MOURIR MAINTENANT...

6

3

HEY!

SI ON DOIT FAIRE UNE SIESTE PAR ICI, C'EST MOI QUI LA FERAI!

© 1985 United Feature Syndicate, inc.

TU ES EN RETARD POUR LE DÎNER, GARFIELD!

JE SUPPOSE QUE TU AS UNE BONNE EXCUSE...

MON SOMME DU MATIN A ÉTÉ PLUS FORT QUE MOI!

© 1985 United Feature Syndicate, inc.

ZUT!

JE DÉTESTE QUAND ÇA M'ARRIVE...

L'INSOMNIE EN PLEIN JOUR!

© 1985 United Feature Syndicate, inc.

6

JE ME SUIS ASSOUPI SOUS MA RAQUETTE DE TENNIS, O.K.?!

OH

© 1985 United Feature Syndicate, inc.

JIM DAVIS

9·1

ZUT ! J'AI FAIM ! JE ME RÉVEILLE TOUJOURS AFFAMÉ AU MILIEU DE LA NUIT. BON, ALLONS JETER UN COUP D'OEIL...

OH, QU'EST-CE QUE C'EST ? ON DIRAIT UN VIEUX BOUT DE PAIN MOUILLÉ !

YIP!

DÉSOLÉ, ODIE !

TRÈS BIEN ! DES OLIVES ! J'AIME LES OLIVES ! J'AIME SUCER LES PIMENTS EN PREMIER ET ENSUITE GRIGNOTER JUSQU'À LA FIN LA PARTIE VERTE...

10

SHUP

JE SUPPOSE QUE TU AS UNE EXPLICATION LOGIQUE POUR ÇA ?!

CLICK

JE SUIS SI EMBARRASSÉ !

JE NE DEVRAIS PROBABLEMENT PAS POSER CETTE QUESTION, MAIS OÙ ODIE A-T-IL EU CE BUBBLE GUM ?

PLOOP!
NE DEMANDE RIEN ET NE REGARDE PAS SOUS LES SIÈGES !

ARRÊTE ÇA !

OÙ VAS-TU ? LE FILM N'EST PAS ENCORE FINI !

LE FILM EST FINI QUAND IL N'Y A PLUS DE POP-CORN...

POURQUOI AVONS-NOUS PERDU NOTRE SOIRÉE POUR CE FILM ?

ET POURQUOI L'IMAGE ÉTAIT-ELLE SI MAUVAISE ?

ET POURQUOI M'ONT-ILS DONNÉ TROIS PAIRES DE LUNETTES EN 3-DIMENSIONS ?

GARFIELD! C'EST LA JOURNÉE DU TRIPLE-COUPON AU SUPERMARCHÉ. ALLONS-Y VITE!

ET VOICI LA JOURNÉE DU TRIPLE-COUPON AU MARCHÉ! LES ACHETEURS SONT EN LIGNE ATTENDANT L'OUVERTURE DU MAGASIN!

ET VOICI LE FEU VERT!

ALORS QUE LES BUTZ SISTERS DÉPASSENT LE RAYON CONSERVES, THELDA BALDUCCI SURGIT SUR LES ROUES ET LES DÉPASSENT...

BALDUCCI FONCE ET SON T-BON EST REPRIS PAR OLD LADY CROWE!

CRASH

NOUS SOMMES PREMIERS EX AEQUO!!!

AVEZ-VOUS UN COUPON?

JE L'AI OUBLIÉ...

ZUT! LES BLACKS N'ONT PAS RÉUSSI!

JIM DAVIS 9-15 15

JE VAIS ALLER FAIRE UNE PETITE SIESTE, NERMAL. SI TU VOIS QUELQU'UN TOUCHER À MON ASSIETTE, JE T'ÉCRASE, OKAY ?

KNOCK KNOCK KNOCK

JIM DAVIS

QUI ÊTES-VOUS ?

TU NE T'EN SOUVIENS PAS ? JE M'APPELLE NERMAL, LE CHATON QUE TU AS ESSAYÉ DE SAUVER VOICI QUELQUES ANS...

10/6

WHAP!
WHAP!

JE SUIS REVENU POUR M'ACQUITTER DE CERTAINES MÉCHANCETÉS...

POOF!

VIENS LÀ MON PETIT COPAIN ! MANGE, MANGE !

23

JE DOIS ÊTRE EN TRAIN DE RÊVER...

OH, JE SUIS FATIGUÉ. JE SUIS FATIGUÉ AU POINT QUE JE N'AI RIEN DE MIEUX À FAIRE QU'À RESTER ALLONGÉ LÀ AUSSI PLAT QU'UNE CRÊPE...

10-9

JIM DAVIS

UNE GROSSE CRÊPE RUISSELANTE DE BEURRE ET DE SIROP D'ÉRABLE...

OH, CE QUE J'AI FAIM !

© 1985 United Feature Syndicate.Inc

JON, IL Y A QUELQUE CHOSE QUE JE PENSE DEVOIR TE DIRE, PARCE QUE DE TOUTE FAÇON, TU LE SAURAS !

© 1985 United Feature Syndicate.Inc

10-10

TU SAIS À QUEL POINT ODIE BAVE ...

JE LUI AI ENTERRÉ LA LANGUE ...

JIM DAVIS

10-11

JIM DAVIS

IL Y A CÂLINS ... ET CÂLINS ...

MAIS, IL N'Y A PAS DE CÂLINS TELS QUE LES CÂLINS D'UN NOUNOURS ...

© 1985 United Feature Syndicate.Inc.

10-12

CLONK

JIM DAVIS

JE DÉTESTE QUAND UN DESSOUS DE VERRE RESTE COLLÉ ET RETOMBE SUR LA TABLE !

GAHFIELD, BUIS-HE DE BAHRLER UN MOMENTG ?

24

© 1985 United Feature Syndicate.Inc

GARFIELD, TU REGARDES TROP LÁ TÉLÉVISION !

PROBABLEMENT...

TU POURRAIS UTILISER BEAUCOUP MIEUX TON TEMPS PLUTÔT QUE D'ADMIRER UN FEUILLE-TON DE TÉLÉ...

C'EST CERTAIN !

IL Y A DEHORS UNE FOULE D'EXPÉRIENCES À TENTER !

JE L'IMAGINE...

EUH, TU POURRAIS ÊTRE, ... EUH, TU POURRAIS, EUH...

JIM DAVIS

10-13

POURQUOI QUELQU'UN PORTE-T-IL UN COSTUME EN LAMA ?

SURPRE-NANT...

25

© 1985 United Feature Syndicate.inc.

QUE REGARDONS-NOUS ?

LE LOTO...

SURPRISE ! JE T'OFFRE UN LIT À BALDAQUIN !

TERRIBLE !

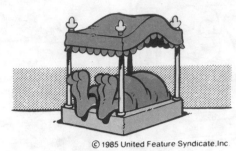

JE ME SENS COMME EFFÉMINÉ ...

10-14

YAWN

QUOI ?!

CES LITS À BALDAQUIN MÉRITERAIENT D'ÊTRE REVUS ...

JIM DAVIS

10-15

AS-TU HONTE DE TON NOUVEAU LIT, GARFIELD ?

OÙ AS-TU CHERCHÉ CETTE IDÉE ?

JIM DAVIS

10-16

JON M'A ENFIN OFFERT UN LIT D'UNE CERTAINE CLASSE ...

MAIS, IL NE ME CONVIENT PAS. J'AI MA FIERTÉ !

ET LA FIERTÉ, BIEN ENTENDU, EST LA CLASSE MOYENNE DE LA CLASSE ...

JIM DAVIS

10-17

26

SMACK

IL SAIT OÙ JE SUIS...

JE SAIS QUE ÇA SE TIENT ICI. JE SENS CETTE PRÉSENCE...

AUCUN MOYEN DE S'ÉCHAPPER !

UNE FOIS QU'IL VOUS A EU, VOUS ÊTES MORT !

FUIS, GARFIELD !

JIM DAVIS 10-20

IL REVIENT !

© 1985 United Feature Syndicate, Inc.

TU NE M'AURAS PAS SANS LUTTER !

ARRRGH!

27

UNE AUTRE VICTIME DE LA BOULE DE POILS...

Z

BIEN, BIEN, BIEN! ODIE EST ASSIS DEVANT LE DIVAN DÉPLIANT. ON VA SE PAYER UNE SURPRISE, HEIN?

© 1985 United Feature Syndicate, Inc.

REGARDEZ ÇA!

WHUMP!

WHAP!

10-27

JIM DAVIS

JE N'AIME PAS ME VANTER, MAIS J'AI PENSÉ AVEC MON IMAGINATION BRILLANTE À FAIRE CE GAG...

29

SMACK!

JE ME DEMANDE CE DONT NERMAL EST CAPABLE ?!

IL Y A UN REQUIN DANS MON BOL D'EAU !

OH

SAUTE SUR L'OREILLER, NERMAL !

10-24

BLAT !

TU AS FAIT ÇA À DESSEIN, VRAI ?

JE FAIS TOUTE CHOSE À DESSEIN !

NE JOUE PAS AVEC CETTE PAUVRE PETITE BALLE DE LAINE, NERMAL ! JE VAIS T'OFFRIR MA PROPRE BALLE DE LAINE...

C'EST GENTIL !

PEUT-ÊTRE QUE GARFIELD M'AIME APRÈS TOUT !

10-25

RÉPONDEZ À CECI...

POURQUOI LORSQU'ILS DISENT D'UN ADULTE QU'IL A UNE "ÂME D'ENFANT", ON L'ENFERME ?

30

ALORS QUE LES ENFANTS ONT LE DROIT DE COURIR LIBREMENT DANS LES RUES !

10-26

KLANG!

OKAY! OKAY! TU N'AVAIS PAS BESOIN DE FRAPPER...

10-28

LAISSEZ-MOI VOUS PARLER DE MON LUNDI. CE LUNDI ALLAIT ÊTRE MAGNIFIQUE. J'AI PENSÉ QUE ÇA SERAIT LE PREMIER LUNDI DE MA VIE QUI NE SENTE PAS MAUVAIS...

JE ME SUIS LEVÉ AU MILIEU DE LA NUIT ET J'AI MANGÉ QUELQUES CROUSTILLES AU JAMBON...

ENSUITE, JE ME SUIS LEVÉ CE MATIN, ET MA COLLECTION DE MARBRES ÉTAIT PARTIE!

JIM DAVIS 10-29 © 1985 United Feature Syndicate, Inc.

HÉ, GARFIELD! JE VIENS D'ACHETER UN COUTEAU SUISSE À MULTIPLES USAGES!

ALORS?

JIM DAVIS   10-30

J'AVAIS DÉJÀ VU DE CES COUTEAUX AVANT. ILS SONT AUSSI UTILES QUE...

© 1985 United Feature Syndicate, Inc.

FOOMP!

CELUI-LÀ EST NOUVEAU!

JON, J'AI DÉCIDÉ QUE MON ESPACE D'HABITATION ÉTAIT PLUTÔT TERNE.

JIM DAVIS   10-31

J'AI QUELQUES PLANS POUR L'AMÉLIORER...

© 1985 United Feature Syndicate, Inc.

31

QUOI? PAS DE LOGEMENT POUR LES DOMESTIQUES?

SI, BIEN SÛR, IDIOT! LÀ, JUSTE DERRIÈRE LA PISCINE!

BEAUCOUP D'ENTRE VOUS ONT PROBABLEMENT REMARQUÉ QUE NOUS NOUS LEVONS LE MATIN D'UNE LIVRE À UN KILO PLUS LÉGERS QUE QUAND NOUS ALLONS AU LIT !

ALORS, OÙ S'EN VA TOUT CE POIDS ?

JE SUIS LÀ POUR VOUS DIRE QUE NOUS SOMMES ENTOURÉS D'UNE ATMOSPHÈRE QUI EST PLEINE DE LA GRAISSE DES GENS QUI DORMENT !

DE PLUS, IL Y A LES DONNEURS ET IL Y A LES RECEVEURS. NOUS LES GROS, NE PRENONS DU POIDS QUE PAR SIMPLE INHALATION ...

OR, NOUS N'ALLONS SÛREMENT PAS NOUS ARRÊTER DE RESPIRER ...

33   JIM DAVIS

AUSSI POURQUOI VOUS, LES MAIGRES, NE FERIEZ VOUS PAS UNE FAVEUR À UN GROS ... ARRÊTEZ DE DORMIR !

11-3

OH, TRES BIEN, GARFIELD, TU AIMERAIS UN PEU DE MES SPAGHETTI...

TWIRL TWIRL TWIRL

JE N'AI PAS ACCORDÉ ASSEZ DE CRÉDIT À CE CHAT...

CAPITAINE! CAPITAINE! IL Y A UN GRAND TROU NOIR MORTEL DEVANT!

11-12   JIM DAVIS

NOUS NE POUVONS REVENIR EN ARRIÈRE! LA FORCE DE GRAVITATION EST TROP INTENSE! ARRRRH!

ILS VIENNENT DE RÉALISER CE QU'AUCUN HOMME N'AVAIT FAIT AVANT...

© 1985 United Feature Syndicate, Inc.

QUE PRÉFÈRES-TU, GARFIELD? LA LASAGNE OU LES BANANES?

11-13   JIM DAVIS

LES BANANES?

IL EST QUESTION ICI DE VALEURS À COTER!

J'AI TROUVÉ UNE NOURRITURE AVEC LAQUELLE TU NE POURRAS PAS JOUER, GARFIELD: LA SOUPE À LA TOMATE!

JIM DAVIS

SPLUT

36   11-14

AUSSI LONGTEMPS QUE JE VIVRAI, JE NE COMPRENDRAI JAMAIS LES CHATS!

LES CHATS? QUI SONT LES CHATS? NOUS, LES BISCUITS SECS, NE SAVONS RIEN DES CHATS...

HÉ, GARFIELD, T'ES TU JAMAIS DEMANDÉ POURQUOI ILS METTENT DES SPOTS PUBLICITAIRES AU MEILLEUR MOMENT.

JE ME DEMANDE SI LE POISSON GOÛTE LES APPÂTS ?...

JE DÉTESTE QUAND JON PÊCHE. SON ESPRIT S'ÉGARE...

OÙ PARTENT LES RIDES SUR L'EAU ?

SI LES ÊTRES AVAIENT DE LA FOURRURE AUTOUR D'EUX, AURAIENT-ILS BESOIN DE PORTER DES VÊTEMENTS ?

POURQUOI LES PETITES BULLES CRÈVENT-ELLES ?

JIM DAVIS

JE T'ENNUIE, GARFIELD ?

42

44

41

OH! DÉSOLÉ! JE NE SAVAIS PAS QUE CE FACTEUR ÉTAIT DÉJÀ PRIS...
AUCUNE IMPORTANCE!

JE SAIS QUE JE NE T'AI PAS ÉCRIT, M'MAN. JE SUIS DÉSOLÉ. OUI, J'IRAI TE VOIR DÈS QUE JE LE POURRAI, O.K.?

JE ME SENS COINCÉ!

JON A PRIS TELLEMENT DE TRANQUILLISANTS QU'IL EST QUALIFIÉ POUR LE PROCHAIN PLAN DE VOL...

FORMIDABLE! IL EST LÀ!

CERTAINES PERSONNES PORTENT LEURS ÉMOTIONS SOUS LA MANCHE!

JE PORTE MES OPINIONS SUR MON VENTRE!

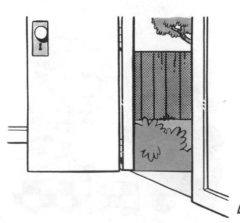

OH... JE NE SAVAIS PAS QUE LES CHIENS SAVAIENT LIRE!

43

48